D1027328

Tous au match !

Des romans à lire à deux,
pour les premiers pas en lecture !

La collection Premières Lectures accompagne les enfants qui apprennent à lire. Chaque roman peut être lu à deux voix : l'enfant lit les bulles et un lecteur confirmé lit le reste de l'histoire.

Cette collection a trois niveaux :

JE DÉCHIFFRE les bulles peuvent être lues par l'enfant qui débute en lecture.

JE COMMENCE À LIRE les bulles peuvent être lues par l'enfant qui sait lire les mots simples.

JE LIS COMME UN GRAND les bulles peuvent être lues par l'enfant qui sait lire tous les mots.

Quand l'enfant sait lire seul, il peut lire les romans en entier, comme un grand !

Un concept original + des histoires simples + des sujets qui passionnent les enfants + des illustrations :
des romans parfaits pour débuter en lecture avec plaisir !

Cette histoire a été testée par Francine Euli, enseignante, et des enfants de CP.

L'orthographe rectifiée, qui fait désormais référence dans les programmes scolaires, est appliquée dans cet ouvrage.

Loi n° 49-956 du 16 juillet 1949 sur les publications destinées à la jeunesse, modifiée par la loi n° 2011-525 du 17 mai 2011.
ISBN : 978-2-09-257413-3

JE LIS COMME UN GRAND

Tous au match !

Texte de Christophe Nicolas et Rémi Chaurand

Illustré par Bérengère Delaporte

Le chevalier Bernard et son écuyer Solal sont dans leur jardin. Solal apporte le café. Mais voilà le grand Piquebouffe qui arrive !

– Tu veux un café ? demande Solal.

– Pas le temps, dit Piquebouffe, il y a une urgence !

Bernard demande :

– Que se passe-t-il, mon bon Piquebouffe ?

– Tu sais qu'au village, nous avons une équipe de soule ?

– C'est quoi, la soule ? demande Solal.

– C’est un jeu, explique Bernard.
Il faut prendre une balle et la déposer devant un poteau.

Piquebouffe rigole. Bernard rigole aussi, car la soule, ce n'est pas si facile.

Piquebouffe continue :

– On a besoin de toi, Bernard. Ceux de Saint-Malo viennent avec leur chevalier, sire Donald.

Bernard n'aime pas sire Donald. C'est un crâneur. C'est surtout un tricheur.

Bernard annonce :

– Solal, une partie de soule nous attend.

Tous
au match !

Sur la place, tout le monde est prêt.
L'arbitre, c'est le curé du village.
Il est gentil, mais il est sourd
et il ne voit pas très bien
non plus.

L’arbitre ajoute :

– Je vous rappelle les règles.

Pas touche aux yeux ! Pas de guili !

Mais tout le reste, c’est bon !

Le match commence bien : c'est Piquebouffe qui attrape la balle. Il la passe à Bagnole, qui fait le malin devant sa fiancée.

Nono, de Saint-Malo, fait
un beau crochepied à Bagnole,
qui s'étale sur le chariot de fleurs
d'une fleuriste ambulante.

La fleuriste frappe un grand coup sur la tête de Bagnole. Nono profite de la mêlée pour lui enfoncer ses doigts dans les yeux. Solal a vu la tricherie.

Mais l’arbitre n’a rien vu !

Le match continue.

Bernard arrive pour plaquer Nono.

Mais Nono a le temps de passer le ballon à sire Donald.

Donald se met à courir.

Bernard se lance pour arrêter Donald.
Six joueurs font un barrage pour
l'empêcher de passer.
Bernard les fait voler de-ci de-là.

Le public l’applaudit.

Bernard fait une révérence.

Nono en profite pour sortir des orties de sa poche…

Trop tard ! Nono frotte Bernard avec les orties. Même les yeux !

– Je ne vois rien ! dit Bernard.

– Moi non plus, dit l'arbitre.

Que se passe-t-il ?

Piquebouffe s'apprête à protester. Cette fois, c'est Donald qui sort du poil à gratter d'une poche secrète et le met dans le pantalon de Piquebouffe.

L'équipe de Bernard va perdre maintenant, c'est sûr. Bernard appelle Solal.

– Solal ! Prends mon maillot et joue à ma place !

Une fillette du public dit à Piquebouffe :

– Donne-moi aussi ton maillot, Papa !

– Je n'ai jamais joué à la soule,

ajoute Solal.

– Moi non plus, réplique Prunelle.

Nono et Donald rigolent bien en voyant que deux enfants tout petits remplacent Bernard et Piquebouffe. Le public aussi.

L'équipe de Saint-Malo est bien trop forte. Solal, Prunelle et les autres se font écraser, plaquer, sauter dessus.

Aïe !
PAF !
OUILLE !

Oh, la balle est là !

Voilà que Prunelle et Solal se jettent la balle en passant entre les jambes des grands joueurs rouges. Quelle action, mes amis !

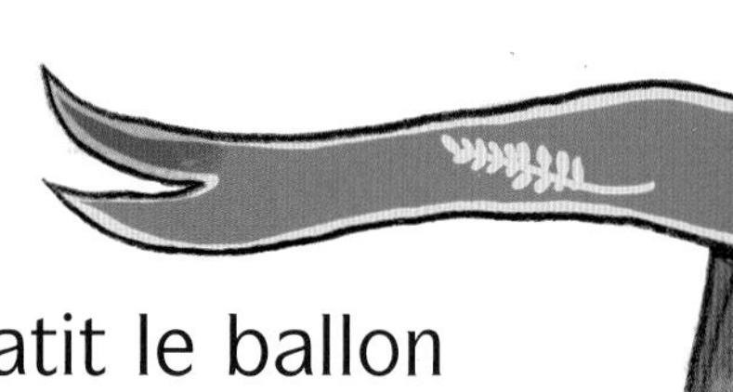

Pour finir, Prunelle aplatit le ballon au pied du poteau. C'est gagné ! Bernard et les autres gars de l'équipe arrivent. Ils félicitent les deux petits joueurs.

Vive Solal
et Prunelle !
Bravo,
les souriceaux !

Bravo! Tu as lu un livre en entier!
Tu as aimé cette histoire?
Découvre d'autres aventures de Solal et Bernard!

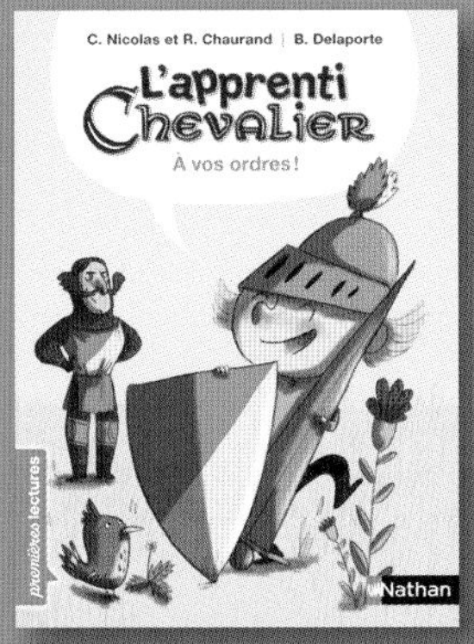

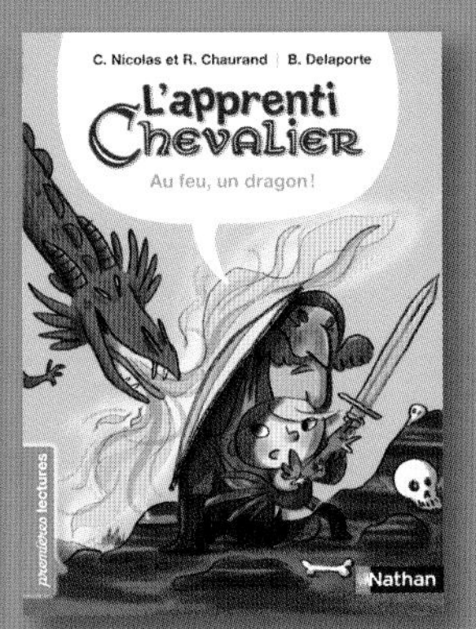

premières lectures

N° éditeur: 10228514 – Dépôt légal: mai 2017
Achevé d'imprimer en avril 2017 par Pollina
(85400 Luçon, Vendée, France)

FSC
www.fsc.org
MIXTE
Papier issu de sources responsables
FSC® C022030